Les recettes et les textes sont de
Nadine JEANNE.

Les photographies sont de
SAEP/Frédéric PERRIN.

Le graphisme et la mise en page sont de
Élisabeth CHARDIN.

La coordination a été assurée par
SAEP/Éric ZIPPER.

Composition et photogravure
SAEP/Arts Graphiques.

Impression
Union Européenne.

Conception : SAEP CRÉATION
68040 INGERSHEIM - COLMAR

Terrines

fraîcheur

Introduction

On ressent un plaisir bien avouable à voir trôner, reine d'un repas du soir, d'un buffet ou d'un pique-nique, cette terrine dont tous s'accordent à dire qu'elle est aussi belle que bonne.

Étonnante, légère, savoureuse, mais, ce que vos convives ne savent pas, c'est qu'elle a été réalisée en un tour de main la veille et qu'aujourd'hui vous en avez profité pour vous détendre. Vous la vouliez fraîche et aérienne car, avec le retour des beaux jours, on aime manger plus léger en profitant des bienfaits des petits légumes tendres, des fruits de saison et autres produits qui apparaissent à profusion sur les étals des primeurs et autres marchands. Belle, elle l'est, parfaitement démoulée et coupée en tranches, accompagnée d'une petite sauce qui la sublime ou prête à partager la vedette avec une salade verte croquante et bien assaisonnée. Festive et conviviale, elle rassemble, en toutes occasions, les amis autour d'une table généreuse. Quant à la préparation, même les cuisiniers en herbe peuvent se lancer. Rien de compliqué, pourvu que l'on respecte quelques principes de base et que l'on ne fasse pas l'impasse sur la réfrigération, qui permet d'obtenir un résultat de qualité, tant au niveau du goût qu'à celui de la présentation. Une excellente occasion, donc, de se mettre aux fourneaux et de régaler ses invités.

On s'équipe !

Matériel de base

- Moule à cake, terrine, ramequins et autres moules individuels
- Robot ménager
- Balance
- Verre mesureur
- Fouet à main
- Fouet électrique
- Spatule et cuillère en bois
- Couteau pointu, couteau économe
- Saladiers
- Égouttoir
- Écumoire
- Casseroles, poêle, sauteuse
- Papier de cuisson
- Film alimentaire

Ludique, la terrine

Si les terrines sont si présentables, c'est parce qu'elles sont réalisées par couches successives d'ingrédients, dont certains sont mixés, d'autres, simplement coupés en dés, en tranches, en bâtonnets… et d'autres encore, laissés entiers. Il s'agit donc de prendre soin non seulement de la forme que l'on va donner aux ingrédients, mais également de l'ordre dans lequel on va les disposer en fonction de leur texture et de leur couleur. On se prend vite au jeu et l'on se surprend à remplacer l'un des légumes de la recette par un autre que l'on préfère, un poisson, une herbe, une épice… jusqu'à créer ses propres recettes, inédites et sur mesure. Voici de quoi se laisser guider avant de se lancer.

- Ne pas hésiter à mêler des herbes aromatiques aux préparations ou à les disposer entre deux couches d'ingrédients.
- Pour colorer et donner du goût à une farce (au poisson, à la viande ou aux légumes) un peu fade, penser à la rehausser avec une épice : curry, safran, paprika… Attention, toutefois, aux mélanges de saveurs, qui doivent rester harmonieux !
- Conserver leur éclat aux légumes blanchis : après avoir blanchi et égoutté les légumes, penser à les rafraîchir avec de l'eau bien froide pour stopper la cuisson et conserver intactes leurs couleurs.
- Tapisser le moule de papier de cuisson (ou de film alimentaire si la terrine ne passe pas au four). Le démoulage de la terrine devient alors très simple et sans risque pour la présentation. Les ramequins et autres moules individuels seront rincés avant d'être garnis (sans être essuyés) et, si le démoulage se révèle difficile, on plongera le fond des moules quelques instants dans de l'eau très chaude.
- Pour les terrines qui ne cuisent pas : tasser autant que possible chaque couche d'ingrédients pour qu'ils forment au final une masse solidaire. Une fois la terrine montée, la couvrir d'une feuille de papier d'aluminium et poser un poids dessus (boîte de conserve, billes de céramique ou légumes secs enfermés dans un sachet…) avant de la réserver au réfrigérateur.

- Il est important de s'assurer de la bonne cuisson d'une terrine. Pour cela, il suffit de plonger la lame d'un couteau pointu au cœur de la terrine, elle doit ressortir sèche sur toute la longueur.
- Pour tous types de terrines, le temps de réfrigération est primordial. Préparées la veille de leur dégustation, elles ont toutes les chances d'être parfaites, tant au niveau des saveurs, qui auront eu le temps de se développer, qu'à celui de la texture, spécialement pour les terrines contenant de la gelée.
- Lorsque l'on verse la gelée sur la terrine en fin de préparation, il faut veiller à tapoter le moule sur le plan de travail pour aider la gelée à descendre jusqu'au fond, sinon la terrine risque de s'écrouler au démoulage. On peut aussi l'aider à descendre en décollant délicatement la préparation des bords du moule à l'aide d'une spatule.
- On n'a que l'embarras du choix face à quantité de moules existants. Mais, si l'on n'en possède aucun, on commence par acheter un moule à cake à revêtement antiadhésif. Ce dernier est léger, n'attache pas et est utilisable pour toutes les recettes de terrines.

Les terrines montées dans des moules transparents (non tapissés de papier de cuisson) peuvent être servies sans être démoulées.
Les terrines (moules) avec couvercle sont idéales pour cuire et servir les préparations à la viande.
Quelle que soit la forme du moule, éviter absolument l'aluminium et la fonte non émaillée, qui noircissent les aliments, et opter pour l'inox, l'émail ou le verre à feu.

Tapisser un moule de papier de cuisson en trois étapes

1. Couper une feuille de papier de cuisson avec des côtés assez grands pour qu'ils puissent être rabattus sur la terrine en fin de préparation. Déposer le moule au milieu de la feuille.
2. Couper le papier en diagonale depuis les coins de la feuille jusqu'aux coins du moule.
3. Rincer le moule sans l'essuyer. Le tapisser de papier en rentrant les coins découpés. Le papier s'adapte parfaitement à la forme du moule.

Quel liant pour quelle terrine ?

La plupart des terrines fraîches sont servies démoulées ; d'ailleurs, leur présentation fait une part de leur succès. Sauf exception, elles contiennent un liant qui leur confère cette tenue. Ce dernier est souvent fait d'œufs et de crème pour les terrines qui passent au four et de gelée pour celles qui ne cuisent pas. On peut préparer soi-même cette gelée en faisant un bouillon à base de viande et de légumes ou à base de poisson et de légumes. Sa préparation est simple, mais longue. Le résultat est excellent et la gelée est très parfumée et savoureuse. Les amateurs ne s'y tromperont pas ! On peut réserver cette préparation à des occasions spéciales pour se faire vraiment plaisir.
Pour certaines terrines à la viande, la cuisson préalable de cette dernière suffit à produire la gelée dans laquelle la viande refroidira. Pour gagner du temps, on utilise bien souvent des gelées en poudre, parfumées au madère, par exemple. Leur utilisation est simple, il suffit de se reporter aux instructions qui figurent sur le paquet. On les trouve facilement dans le commerce.
Certaines terrines, en revanche, gagnent à être préparées avec une gelée au goût neutre, qui ne concurrence pas celui des autres ingrédients. Dans ce cas, on utilise également de la gélatine, que l'on achète toute prête dans le commerce, en feuilles ou en poudre. Les plus courantes sont d'origine porcine, ce sont celles que l'on trouve le plus souvent en grande surface. Il existe pourtant une alternative, l'agar-agar, gélatine obtenue à partir d'algues marines séchées. Il est vendu dans les magasins d'alimentation biologique.

Savoir utiliser les feuilles de gélatine

1. Faire tremper pendant 5 à 10 minutes les feuilles de gélatine dans un bol contenant de l'eau froide.
2. Porter un liquide à ébullition (eau, vin, lait…). Une petite quantité suffit.
3. Retirer la casserole du feu, attendre quelques instants, puis plonger une à une les feuilles de gélatine essorées entre les doigts dans le liquide chaud en mélangeant.
4. La gelée est prête à être utilisée. On peut la mêler chaude, tiède ou froide à une préparation. Ne pas attendre trop longtemps avant de la mélanger car elle commencerait à se solidifier.

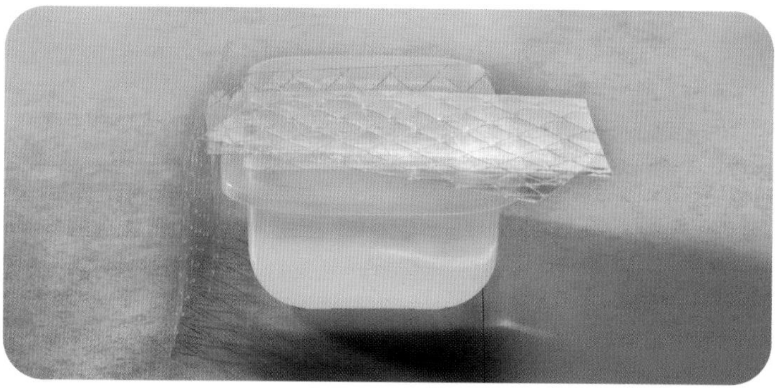

Recommandations : toujours incorporer les feuilles de gélatine dans une préparation hors du feu, une trop forte température annulerait son action gélifiante.

À savoir : chaque feuille de gélatine pèse 2 g.

Utilisation de la gélatine alimentaire en poudre (d'origine porcine, la plus courante) : on délaye la quantité requise dans un peu d'eau froide, on remue, on laisse gonfler pendant quelques minutes, puis on incorpore la gelée à la préparation chaude.

Utilisation de l'agar-agar (extrait d'algues marines séchées, vendu dans les magasins d'alimentation biologique) : on délaye la quantité requise dans un liquide froid avant de porter la préparation à ébullition.

Le temps de la dégustation

Il y en a pour toutes les étapes du repas ! En entrée, on sert une fine tranche de terrine à l'assiette accompagnée de pain grillé et de quelques feuilles de salade verte. Les terrines aux légumes accompagneront toutes sortes de viandes, mais pourront également être proposées le soir avec une salade verte, de tomates ou encore une tranche de jambon, de jambonneau...

Les terrines à la viande seront aussi bien accompagnées de légumes servis chauds que de chips ou de crudités à l'occasion d'un pique-nique ou d'un buffet froid, par exemple.

Les terrines au poisson, escortées de mayonnaise, peuvent être dégustées midi ou soir avec des petites pommes de terre cuites à l'eau, une purée de légumes, une salade verte...

Le plateau de fromage peut être remplacé par une tranche de terrine au fromage.

Certaines terrines sucrées se suffisent à elles-mêmes, d'autres accompagneront une salade de fruits frais, une tranche de brioche ou un coulis de fruits.

Mousse de fromage blanc au concombre

Pour 8 à 10 personnes
Facile • Peu coûteuse
Préparation : 20 minutes
Repos : 2 heures + 1 nuit
Cuisson : 3 minutes

- 2 concombres (1 kg environ)
- 1 gousse d'ail
- 3 échalotes
- 1 petit bouquet de coriandre
- 10 feuilles de gélatine
- 700 g de fromage blanc
- 2,5 cl de jus de citron
- Sel, poivre du moulin.

Peler les concombres. Couper un demi-concombre en dés et râper le restant. Les placer dans 2 égouttoirs différents, les saupoudrer de sel et les laisser dégorger pendant 2 heures.

Peler et hacher l'ail. Peler et émincer les échalotes. Hacher la coriandre. Faire tremper les feuilles de gélatine pendant 5 minutes dans un saladier d'eau froide.

Porter 5 cl d'eau à ébullition. Hors du feu, y plonger les feuilles de gélatine essorées en remuant. Laisser refroidir.

Dans un saladier, mélanger le concombre râpé, le fromage blanc, le citron, l'ail, les échalotes et la coriandre. Saler, poivrer, puis ajouter la gélatine et mélanger.

Tapisser un moule de papier de cuisson, verser la moitié de la préparation au fromage blanc, répartir les dés de concombre, puis recouvrir de fromage blanc.

Couvrir et réserver une nuit au réfrigérateur. Démouler au moment de servir.

••• Pour accompagner : une vinaigrette relevée et des petits légumes crus coupés en morceaux ou en bâtonnets (carottes, chou-fleur, champignons, fenouil, radis…). Penser également aux minilégumes (carottes, épis de maïs).

Terrine de courgettes au fromage de brebis et aux anchois

Pour 6 personnes
Facile • Peu coûteuse
Préparation : 45 minutes
Repos : 1 nuit
Cuisson : 20 minutes

- 3 poivrons (2 rouges + 1 jaune)
- 2 courgettes de 200 g environ
- 3 feuilles de gélatine
- 5 cl de crème fraîche liquide
- 400 g de fromage frais de brebis
- 1/2 bouquet de coriandre
- 8 filets d'anchois à l'huile
- Sel, poivre du moulin.

Disposer les poivrons entiers sur la grille du four. Faire noircir chacune des faces sous le gril. Retirer les poivrons, les laisser refroidir.

Couper les extrémités des courgettes. Les détailler en lamelles dans la longueur à l'aide d'un couteau économe. Les ébouillanter pendant 1 minute dans une casserole d'eau salée. Les égoutter.

Plonger les feuilles de gélatine pendant 5 minutes dans un bol d'eau froide. Faire doucement chauffer la crème dans une petite casserole. Hors du feu, y dissoudre les feuilles de gélatine essorées.

Dans un saladier, fouetter au fouet à main le fromage de brebis et la gelée. Saler légèrement et poivrer.

Éplucher les poivrons, les ouvrir, retirer les pépins, les filaments blancs et les couper en lanières. Hacher la coriandre.

Égoutter les anchois. Les réduire en purée dans le bol d'un robot ménager.

Tapisser un moule de film alimentaire. Chemiser le fond du moule, puis les parois, de lamelles de courgette. Couper les lamelles à ras du moule à l'aide de ciseaux et utiliser les morceaux de lamelles coupées pour continuer à chemiser les parois.

Étaler dans le moule, une couche de fromage, une fine couche de purée d'anchois et une couche de poivrons grillés. Parsemer de coriandre hachée. Monter la terrine dans cet ordre jusqu'à épuisement des ingrédients. Fermer la terrine avec des lamelles de courgette.

Couvrir et réserver pendant une nuit au réfrigérateur. Démouler au moment de servir.

••• Pour changer : remplacer les anchois par de la tapenade. Les deux étant très salés, attention à ne pas trop saler la préparation au fromage blanc !

Terrine de ricotta
aux poivrons grillés
et aux olives,
page 16

Terrine de ricotta aux poivrons grillés et aux olives

Pour 8 personnes
Facile • Peu coûteuse
Préparation : 40 minutes
Repos : 1 nuit
Cuisson : 15 minutes

- 7 poivrons
- 1 gousse d'ail
- 100 g d'olives noires
- 1 bouquet de basilic
- 500 g de ricotta
- 10 cuil. à soupe d'huile d'olive
- Sel, poivre du moulin.

Disposer les poivrons entiers sur la grille du four. Faire noircir chacune des faces sous le gril. Retirer les poivrons, les laisser refroidir.

Peler l'ail, dénoyauter les olives et prélever les feuilles des branches de basilic. Hacher grossièrement les olives au couteau et finement les feuilles de basilic.

Éplucher les poivrons, les ouvrir, retirer les pépins, les filaments blancs et les couper en lanières de taille moyenne.

Dans une terrine, écraser la ricotta à la fourchette. Saler, poivrer, puis verser l'huile en filet en fouettant au fouet à main. Incorporer l'ail pressé, les olives et le basilic.

Tapisser un moule de papier de cuisson ou rincer une terrine (sans l'essuyer). Disposer une couche de poivrons grillés au fond du moule et recouvrir d'une couche de préparation à la ricotta. Monter la terrine jusqu'à épuisement des ingrédients en terminant par les poivrons.

Couvrir la terrine de film alimentaire ou d'une feuille de papier de cuisson avant de la lester. Réserver une nuit au réfrigérateur avant de démouler.

••• *Pour accompagner : des tranches de pain grillées ou des crackers.*

Terrine d'avocats

Pour 8 personnes
Facile • Peu coûteuse
Préparation : 25 minutes
Repos : 1 nuit
Cuisson : 15 minutes

- 8 feuilles de gélatine
- 50 cl de lait
- 8 jaunes d'œufs
- 1 tomate
- 8 avocats mûrs
- 1 citron
- Quelques gouttes de Tabasco
- Sel, poivre.

Plonger les feuilles de gélatine dans un bol d'eau froide. Dans une petite casserole, porter le lait à ébullition.

Mettre les jaunes d'œufs dans une autre casserole, saler et poivrer. Verser dessus le lait bouillant sans cesser de fouetter au fouet à main. Faire chauffer à feu doux en remuant sans arrêt avec une cuillère en bois. Retirer du feu dès que la sauce nappe la cuillère. Incorporer les feuilles de gélatine essorées. Laisser refroidir.

Plonger la tomate dans un bol d'eau bouillante. L'égoutter, la peler et l'épépiner. Couper la pulpe en petits dés.

Ouvrir les avocats, retirer les noyaux et citronner la chair. Prélever la chair de 4 avocats et la réduire en purée au mixeur. Mélanger cette purée ainsi que les dés de tomate à la crème aux œufs. Saler, poivrer et relever de quelques gouttes de Tabasco.

Prélever délicatement la chair des avocats restants. La couper en petits morceaux.

Tapisser un moule de papier de cuisson. Monter la terrine en alternant couches de crème et dés d'avocat. Terminer par une couche de crème. Couvrir et réserver pendant une nuit au réfrigérateur. Démouler au moment de servir.

••• Pour accompagner : une sauce à l'estragon : hacher 10 feuilles d'estragon. Dans un saladier, mélanger 50 cl de crème fraîche avec le jus de 2 citrons et l'estragon. Fouetter au fouet à main pour alléger la crème.

Servir avec des tartines de pain grillées.

Mousse de thon

Pour 8 personnes
Facile • Peu coûteuse
Préparation : 15 minutes
Repos : 1 nuit
Cuisson : 5 minutes

- 1 paquet de gelée instantanée
- 25 cl de vin blanc sec
- 425 g de thon au naturel
- 1 cuil. à soupe de moutarde forte
- 5 cl de vinaigre d'estragon
- 50 g de fromage blanc
- 50 g de crème fraîche liquide
- Quelques branches d'aneth haché
- 1 cuil. à café rase de sel
- Poivre du moulin.

Préparer la gelée en suivant les instructions du paquet, mais en remplaçant une partie de l'eau par le vin blanc. Laisser refroidir en remuant régulièrement pour que la gelée ne prenne pas.

Mettre le thon dans le bol d'un robot ménager. Ajouter la moutarde, le vinaigre, le sel et poivrer. Mixer pour obtenir une farce homogène.

Verser la préparation au thon dans un saladier, ajouter la gelée refroidie, le fromage blanc, la crème et l'aneth haché. Mélanger soigneusement.

Tapisser un moule de papier de cuisson. Verser dedans la préparation au thon, couvrir et réserver pendant une nuit au réfrigérateur. Démouler au moment de servir.

••• Pour accompagner : une sauce au fromage blanc : mélanger 100 g de fromage blanc, 1 cuillerée à café de moutarde forte et 2 cl de jus de citron. Saler et poivrer.

Terrine de fromage de chèvre aux fruits secs

Pour 6 personnes
Facile • Raisonnable
Préparation : 20 minutes
Repos : 15 minutes + 1 nuit
Cuisson : 3 minutes

- 7 feuilles de gélatine
- 25 cl de crème fraîche liquide
- 300 g de fromage de chèvre frais
- 1 botte de ciboulette
- 1 gousse d'ail
- 100 g de cerneaux de noix
- 50 g de noisettes
- 1 brique du Livradois
- Sel, poivre du moulin.

Plonger pendant 5 minutes les feuilles de gélatine dans un bol d'eau froide. Faire doucement chauffer 10 cl de crème sans la faire bouillir. Hors du feu, y dissoudre les feuilles de gélatine essorées.

Fouetter le fromage de chèvre frais au fouet mécanique avec le restant de crème. Saler légèrement, poivrer, ajouter la ciboulette coupée aux ciseaux, l'ail pressé, la crème à la gélatine et les fruits secs grossièrement concassés. Fouetter pour mélanger.

Tapisser un moule de papier de cuisson. Verser la moitié de la préparation au fromage frais. Laisser prendre 15 minutes au réfrigérateur. Placer la brique du Livradois au centre et recouvrir de préparation au fromage. Couvrir et réserver pendant une nuit au réfrigérateur. Démouler au moment de servir.

••• Pour accompagner : cette terrine peut être servie en entrée, mais également au moment du fromage avec du pain grillé et une salade de mesclun assaisonnée d'une vinaigrette à l'huile de noix.

Mousse de thon

Rillettes de poulet en terrine

Pour 6 personnes
Facile • Chère
Préparation : 45 minutes
Repos : 1 nuit
Cuisson : 1 heure 10 minutes

- 1 poulet de 1,500 kg
- 1 cube de bouillon de volaille
- 1 bouquet garni
- 200 g de foie gras de canard à température ambiante
- 1,5 cuil. à café de gelée instantanée au madère
- 1 cuil. à soupe de madère
- Gros sel
- 10 grains de poivre.

Éliminer les cuisses du poulet. Dans un faitout, porter 1,5 l de bouillon de volaille à ébullition avec le bouquet garni, les grains de poivre et un peu de gros sel. Plonger le poulet dans le bouillon, réduire le feu et laisser cuire à couvert pendant 1 heure. Laisser tiédir le poulet dans le bouillon.

Égoutter le poulet et réserver 10 cl de bouillon. Désosser le poulet à l'aide d'un petit couteau et effeuiller la chair avec les doigts. Jeter la peau.

Rincer une terrine sans l'essuyer. Garnir le fond d'une fine couche de chair de poulet, tasser, puis étaler une fine couche de foie gras. Monter la terrine jusqu'à épuisement des ingrédients. Terminer par le poulet.

À l'aide d'une écumoire, retirer le gras qui s'est formé à la surface du bouillon réservé. Le filtrer à travers un chinois posé sur une casserole.

Ajouter la gelée au madère et porter doucement à ébullition en mélangeant. Retirer du feu au premier bouillon, ajouter le madère et laisser refroidir.

Verser la gelée sur la terrine, couvrir et réserver pendant une nuit au réfrigérateur avant de déguster.

••• Pour accompagner : de grandes tranches de pain de campagne grillées et des petits cornichons croquants.

Terrine de riz safrané aux moules

Pour 6 personnes
Facile • Peu coûteuse
Préparation : 20 minutes
Repos : 15 minutes + 1 nuit
Cuisson : 35 minutes

- 200 g de moules au naturel en conserve
- 80 g de carottes en conserve
- 80 g de petits pois en conserve
- 200 g de riz
- Deux pincées de safran
- 1/2 sachet de gelée au madère
- 1 bouquet garni
- 1 cuil. à soupe de madère
- 1 jaune d'œuf
- 1 cuil. à café de moutarde
- 1 cuil. à café de vinaigre
- 10 cl d'huile
- Quelques tiges de ciboulette et d'aneth
- Sel, poivre du moulin.

Égoutter les moules, les carottes et les petits pois. Faire cuire le riz 20 minutes dans 2 l d'eau salée parfumée au safran. Égoutter et laisser refroidir.

Délayer la gelée dans 25 cl d'eau froide, ajouter le bouquet garni. Porter doucement à ébullition sans cesser de remuer. Filtrer la gelée et ajouter le madère.

Tapisser un moule de film alimentaire, verser 1 cm de gelée et laisser prendre 15 minutes au réfrigérateur. Déposer quelques moules sur la gelée prise.

Dans un bol, mélanger à la fourchette le jaune d'œuf, la moutarde et le vinaigre. Verser l'huile en filet sans cesser de fouetter pour que la mayonnaise prenne.

Mélanger la mayonnaise au riz, puis ajouter les carottes coupées en tronçons, les petits pois, les moules restantes et les herbes hachées. Mélanger délicatement, verser dans le moule et couvrir de gelée. Tapoter le moule sur un plan de travail pour que la gelée aille bien jusqu'au fond. Couvrir et réserver pendant une nuit au réfrigérateur avant de démouler.

Terrine aux épinards et à la ricotta, *page 27*

Terrine de poires au bleu d'Auvergne

Pour 6 personnes
Facile • Raisonnable
Préparation : 25 minutes
Repos : 1 nuit
Cuisson : 35 minutes

- *150 g de beurre*
- *20 g de raisins secs*
- *6 poires*
- *110 g de sucre en poudre*
- *3 feuilles de gélatine*
- *35 g de cerneaux de noix*
- *300 g de bleu d'Auvergne*
- *1 cuil. à soupe de ciboulette hachée*
- *Poivre du moulin.*

Sortir le beurre 1 heure avant de commencer la recette. Faire tremper les raisins secs dans un bol d'eau.

Éplucher les poires, les couper en deux et retirer le cœur. Les faire cuire 30 minutes à feu doux (à partir du frémissement du sirop) avec le sucre et 40 cl d'eau.

Plonger pendant 5 minutes les feuilles de gélatine dans un bol d'eau froide. Tapisser une terrine de papier de cuisson.

Prélever 10 cl de sirop de cuisson des poires. Y dissoudre les feuilles de gélatine essorées. Laisser refroidir les poires dans le restant de sirop.

Concasser grossièrement les cerneaux de noix. Écraser le bleu d'Auvergne à la fourchette, incorporer le beurre ramolli coupé en morceaux et la gelée. Mélanger jusqu'à l'obtention d'une préparation homogène. Incorporer les noix, la ciboulette et les raisins égouttés.

Essuyer soigneusement les poires avec du papier absorbant.
Les couper en tranches.

Verser une couche de préparation au fromage dans le moule, couvrir de poires et poivrer. Monter la terrine dans cet ordre jusqu'à épuisement des ingrédients. Terminer par le fromage. Couvrir et réserver pendant une nuit au réfrigérateur. Démouler au moment de servir.

••• Pour accompagner : une salade assaisonnée de vinaigrette à l'huile de noix et des tranches de pain de campagne grillées.

Cette terrine peut être servie en entrée ou remplacer un plateau de fromage.

Terrine aux épinards et à la ricotta

Pour 6 personnes
Facile • Peu coûteuse
Préparation : 25 minutes
Repos : 1 nuit
Cuisson : 1 heure 10 minutes

- *500 g d'épinards surgelés en branche*
- *3 œufs*
- *3 cuil. à soupe de farine*
- *20 cl de crème fraîche liquide*
- *Muscade râpée*
- *250 g de ricotta*
- *50 g de parmesan râpé*
- *Sel, poivre du moulin.*

Faire décongeler les épinards dans une sauteuse à feu moyen. Lorsqu'ils sont décongelés, augmenter le feu sans les couvrir pour les assécher. Laisser refroidir.

Dans un grand saladier, battre les œufs, ajouter la farine en pluie sans cesser de fouetter au fouet mécanique. Verser la crème, de la muscade, du sel, du poivre et mélanger. Ajouter la moitié de la ricotta effritée. Écraser cette dernière à la fourchette, puis ajouter les épinards et mélanger. Réduire cet appareil en purée au mixeur.

Verser la moitié de la purée d'épinards dans un moule tapissé de papier de cuisson. Répartir le restant de ricotta sans l'écraser, saupoudrer de la moitié du parmesan et recouvrir du restant d'épinards. Terminer par le restant de parmesan.

Couvrir et enfourner pour 40 minutes dans un four chaud à 210 °C (th. 7). Découvrir et poursuivre la cuisson pendant 10 minutes. Plonger la lame d'un couteau fin au cœur de la terrine, elle doit ressortir sèche.

Laisser refroidir la terrine à température ambiante avant de la réserver pendant une nuit au réfrigérateur. Démouler au moment de servir.

••• Pour accompagner : un coulis de tomates : ébouillanter, peler et épépiner 800 g de tomates. Réduire la pulpe en purée dans le bol d'un robot ménager. Verser la purée dans une casserole avec 1 gousse d'ail pressée, 3 branches de basilic et 4 cl d'huile d'olive. Saler, poivrer et cuire pendant 15 minutes à petits bouillons. Retirer le basilic et laisser refroidir. Réserver au réfrigérateur jusqu'au moment de servir.

Terrine de légumes aux herbes fraîches et au jambon

Pour 6 personnes
Facile • Peu coûteuse
Préparation : 40 minutes
Repos : 1 nuit
Cuisson : 1 heure 15 minutes

- 200 g de haricots verts
- 200 g de petits pois
- 200 g de carottes
- 4 tranches de jambon cuit
- 10 feuilles de menthe
- 1 botte de ciboulette
- 3 brins de thym frais
- 2 œufs + 2 jaunes
- 30 cl de crème fraîche liquide
- 10 g de beurre pour la terrine
- Sel, poivre du moulin.

Équeuter les haricots verts, écosser les petits pois, éplucher les carottes. Couper les haricots verts en deux et les carottes en fines rondelles. Cuire les légumes séparément de 10 à 15 minutes à la vapeur.

Couper les tranches de jambon en lanières. Hacher les feuilles de menthe et ciseler la ciboulette. Réunir les herbes dans un bol et effriter le thym. Mélanger.

Dans un saladier, battre les œufs et les jaunes d'œufs à la fourchette. Ajouter la crème, saler, poivrer et mélanger.

Beurrer une terrine ou tapisser un moule de papier de cuisson. Disposer les haricots verts, saler, poivrer, puis saupoudrer d'herbes mélangées. Répartir ensuite des lanières de jambon. Procéder de la même façon pour les carottes et pour les petits pois. Terminer par le jambon.

Verser l'appareil aux œufs, puis couvrir (avec le couvercle de la terrine ou avec une feuille de papier d'aluminium). Faire cuire au bain-marie dans un four chaud à 180 °C (th. 6) pendant 1 heure.

Laisser complètement refroidir la terrine avant de la réserver pendant une nuit au réfrigérateur. Servir dans la terrine ou démouler sur un plat de service.

••• Pour accompagner : une sauce au petit-suisse : mélanger 3 petits-suisses avec 1 cuillerée à soupe de mayonnaise. Ajouter 1 échalote émincée finement, quelques brins de ciboulette ciselée, du sel, du poivre et mélanger soigneusement. Servir cette sauce à part.

Terrine de fèves et d'asperges au pistou

Pour 4 personnes
Facile • Raisonnable
Préparation : 30 minutes
Repos : 1 nuit
Cuisson : 1 heure 15 minutes

- *300 g d'asperges vertes*
- *200 g de fèves pelées surgelées*
- *4 œufs*
- *20 cl de lait*
- *20 cl de crème fraîche*
- *150 g de ricotta*
- *2 cuil. à soupe de pignons de pin*
- *Sel, poivre du moulin.*

Couper le bout dur des tiges des asperges. Les cuire 12 à 15 minutes à la vapeur. Couper les pointes des asperges à 6 cm et les tiges en tronçons.

Plonger les fèves pendant 6 minutes dans une casserole d'eau bouillante salée. Les égoutter et les rafraîchir aussitôt à l'eau courante.

Dans un saladier, battre les œufs, puis verser le lait chaud sans cesser de remuer. Ajouter la crème et la ricotta. Écraser cette dernière à la fourchette. Saler, poivrer et mélanger.

Faire dorer les pignons de pin pendant quelques minutes dans une poêle à revêtement antiadhésif.

Tapisser un moule de papier de cuisson. Étaler une couche de crème à la ricotta dans le fond du moule, répartir une couche de fèves, parsemer de pignons de pin et recouvrir d'une couche de crème. Poursuivre en répartissant pointes et tronçons d'asperge, pignons et crème à la ricotta. Monter la terrine jusqu'à épuisement des ingrédients. Terminer par la crème à la ricotta.

Couvrir et enfourner pour 50 minutes au bain-marie dans un four chaud à 200 °C (th. 6-7). Laisser refroidir la terrine à température ambiante avant de la réserver pour une nuit au réfrigérateur. Démouler au moment de servir.

••• Pour accompagner : un pistou : mélanger un bouquet de basilic haché et 4 gousses d'ail pelées et pressées. Ajouter 15 cl d'huile d'olive, 50 g de parmesan râpé et mélanger soigneusement.

Terrine de polenta aux petits légumes

Pour 6 personnes
Facile • Peu coûteuse
Préparation : 45 minutes
Repos : 1 nuit
Cuisson : 20 minutes

- *1 oignon*
- *500 g de tomates*
- *2 poivrons verts*
- *3 cuil. à soupe d'huile d'olive*
- *250 g de mozzarella au lait de bufflonne*
- *1 petit bouquet de basilic*
- *350 g de semoule de maïs précuite (polenta)*
- *4 cuil. à soupe de crème fraîche liquide*
- *Sel, poivre du moulin.*

Peler puis hacher l'oignon. Laver les tomates et les poivrons. Couper les légumes en deux. Épépiner les tomates avant de les couper en dés. Retirer les filaments blancs et les graines des poivrons avant de les couper en dés.

Dans une sauteuse, faire chauffer 2 cuillerées à soupe d'huile. Y faire revenir les oignons, puis ajouter les dés de légumes, saler, poivrer et laisser cuire pendant 10 minutes à feu moyen.

Égoutter la mozzarella, la couper en gros dés. Hacher les feuilles de basilic. Tapisser un moule de papier de cuisson.

Porter à ébullition 1,75 l d'eau additionnée de 1,5 cuillerée à café de sel et de l'huile restante. Verser la semoule de maïs en pluie sans cesser de tourner avec une cuillère en bois. Laisser cuire pendant 5 minutes à feu doux en remuant constamment. Hors du feu, mêler la crème et le basilic.

Dans une terrine, mélanger soigneusement la polenta et les légumes. Monter la terrine en alternant couches fines de polenta et dés de mozzarella. Terminer par une couche de polenta.

Couvrir le moule et réserver une nuit au réfrigérateur avant de démouler.

••• Pour accompagner : une sauce tomate : dans une casserole, faire rissoler 1 oignon dans 1 cuillerée à soupe d'huile d'olive. Verser 300 g de purée de tomates et 5 tomates pelées et épépinées coupées en morceaux. Saler, poivrer et ajouter un peu d'origan haché. Cuire pendant 30 minutes en remuant de temps en temps, puis mixer.

Un coulis de poivrons (p. 36) un plat en sauce.

Terrine de légumes en gelée,
page 37

Timbales de carottes au cerfeuil

Pour 6 personnes
Facile • Peu coûteuse
Préparation : 35 minutes
Repos : 1 nuit
Cuisson : 40 minutes

- *1 kg de carottes*
- *4 oignons*
- *3 gousses d'ail*
- *3 cuil. à soupe d'huile d'olive*
- *4 œufs*
- *1 cuil. à soupe rase de fécule de maïs*
- *20 cl de crème fraîche épaisse*
- *1 gros bouquet de cerfeuil*
- *Sel, poivre du moulin.*

Peler les carottes, les oignons et les gousses d'ail. Râper les carottes, hacher les oignons et l'ail.

Dans une sauteuse, faire revenir l'oignon et l'ail dans l'huile chaude. Ajouter les carottes et laisser cuire 15 minutes à feu moyen. S'il reste du jus en fin de cuisson, le faire évaporer à feu vif. Saler, poivrer et laisser refroidir.

Dans un saladier, battre les œufs à la fourchette, ajouter la fécule de maïs en pluie et mélanger. Incorporer ensuite la crème et le cerfeuil haché au couteau. Saler et poivrer.

Verser les carottes dans l'appareil aux œufs et mélanger soigneusement. Beurrer 6 ramequins (ou autres moules individuels) et les remplir de préparation aux carottes.

Enfourner pour 20 minutes dans un four chaud à 180 °C (th. 6), puis laisser reposer 5 minutes dans le four éteint. Laisser refroidir à température ambiante avant de réserver les timbales une nuit au réfrigérateur. Démouler au moment de servir.

••• Pour accompagner : un coulis de poivrons : dans le bol d'un robot ménager, réduire en purée 300 g de poivrons jaunes grillés avec 2 cuillerées à soupe d'huile d'olive et un peu de sel.

Servir avec des tranches de rôti froid.

Terrine de légumes en gelée

Pour 6 personnes
Facile • Peu coûteuse
Préparation : 40 minutes
Repos : 1 heure + 1 nuit
Cuisson : 25 minutes

- 1 brocoli
- 3 carottes nouvelles
- 1 courgette moyenne
- 1 bocal de poivrons grillés
- 5 tomates séchées à l'huile
- 3 branches de basilic
- 3 branches d'estragon
- 3 brins de cerfeuil
- 1 sachet de gelée au madère
- Sel, poivre du moulin.

Détacher les bouquets de la tête de brocoli. Éplucher les carottes et couper les extrémités de la courgette. Laver les légumes avant de les cuire à la vapeur : les carottes pendant 15 minutes, les brocolis et la courgette pendant 10 minutes.

Laisser tiédir les légumes avant de les couper dans la longueur en tranches fines. Égoutter les poivrons et les tomates séchées. Couper ces dernières en deux dans la longueur. Tailler les poivrons en lanières. Prélever les feuilles des branches de basilic et d'estragon.

Préparer la gelée en suivant les indications du paquet. Rincer une terrine transparente à l'eau froide (sans l'essuyer) ou tapisser un moule de papier de cuisson. Verser un fond de gelée dans le moule, répartir quelques feuilles de basilic et d'estragon et réserver le moule pendant 10 minutes au réfrigérateur.

Répartir les tranches de carottes, saler et poivrer, parsemer de feuilles de basilic, d'estragon et de cerfeuil ciselé. Couvrir de gelée et réserver au réfrigérateur pendant 10 minutes. Procéder de la même façon pour les brocolis, le poivron, la courgette et les tomates séchées. Terminer par le restant d'herbes et le restant de gelée.

Couvrir et réserver pendant une nuit au réfrigérateur. Démouler au moment de servir ou présenter dans le moule.

••• *Pour accompagner : une mayonnaise bien relevée.*

Terrine de blé aux légumes

Pour 6 personnes
Facile • Peu coûteuse
Préparation : 30 minutes
Repos : 1 nuit
Cuisson : 1 heure

- 1 l de bouillon de légumes
- 2 sachets de 125 g de blé précuit
- 3 fonds d'artichaut surgelés
- 1 gousse d'ail
- 3 échalotes
- 2 branches de céleri
- 1 carotte
- 3 tomates rondes
- 2 cuil. à soupe d'huile d'olive
- 1 bouquet de basilic
- 1 cuil. à soupe d'origan frais
- 3 blancs d'œufs
- Sel, poivre du moulin.

Porter le bouillon de légumes à ébullition. Y plonger les sachets de blé et laisser cuire 10 minutes à partir de la reprise de l'ébullition. Égoutter.

Porter une casserole d'eau à ébullition, y plonger les fonds d'artichaut et laisser cuire pendant 2 minutes. Les égoutter (les débarrasser, s'il y a lieu, des parties dures) et les couper en cubes.

Pele puis hacher l'ail et les échalotes. Émincer le céleri effilé et couper la carotte épluchée en rondelles. Ébouillanter les tomates, les égoutter, les rafraîchir à l'eau courante, les éplucher et les épépiner. Hacher grossièrement la chair au couteau.

Faire revenir l'ail et les échalotes dans l'huile chaude, ajouter les légumes et laisser cuire 10 minutes à feu moyen en remuant régulièrement. Ajouter le basilic et l'origan hachés, saler et poivrer.

Tapisser un moule de papier de cuisson. Battre les blancs d'œufs en neige avec une pincée de sel. Mélanger les légumes et le blé, puis incorporer délicatement les blancs d'œufs. Rectifier l'assaisonnement.

Verser la préparation dans le moule, tasser, lisser la surface et enfourner pour 30 minutes dans un four chaud à 180 °C (th. 6). Laisser refroidir à température ambiante avant de réserver pendant une nuit au réfrigérateur. Démouler au moment de servir.

Terrine de légumes aux trois couleurs

Pour 8 personnes
Facile • Peu coûteuse
Préparation : 40 minutes
Repos : 1 nuit
Cuisson : 1 heure

- 1 gros poivron rouge
- 450 g d'épinards
- 50 g d'oseille
- 16 œufs
- 1/4 cuil. à café rase de curry
- Sel, poivre du moulin.

Disposer le poivron entier sur la grille du four. Faire noircir chacune des faces sous le gril. Retirer le poivron, le laisser refroidir.

Laver les épinards et l'oseille, les laisser ramollir à feu moyen dans une sauteuse (ajouter un peu d'eau si nécessaire). Les hacher grossièrement au couteau.

Éplucher le poivron, l'ouvrir, l'épépiner et le couper en dés. Battre les œufs salés et poivrés en omelette, les répartir dans 3 récipients. Parfumer une portion d'œufs avec le curry. Ajouter les dés de poivron à la deuxième et le mélange d'épinards et d'oseille à la troisième.

Tapisser un moule de papier de cuisson. Verser la préparation aux poivrons et enfourner le temps de la raffermir dans un four chaud à 180 °C (th. 6). Ajouter la portion au curry et laisser cuire 15 minutes. Verser enfin celle aux épinards et à l'oseille et poursuivre la cuisson encore 15 minutes.

Plonger la lame d'un couteau fin au cœur de la terrine, elle doit ressortir sèche. Laisser refroidir à température ambiante avant de réserver pendant une nuit au réfrigérateur. Démouler froid.

••• Pour accompagner : un coulis de tomates à l'échalote : mixer ensemble 1 petite boîte de tomates pelées et leur jus, 2 gousses d'ail et 2 échalotes pelées et coupées en morceaux. Verser dans une casserole, ajouter 2 cuillerées à soupe d'huile d'olive, la même quantité de vinaigre de vin, 1 petite boîte de concentré de tomates et 2 cuillerées à café de sucre en poudre. Laisser cuire à feu doux, sans couvrir, jusqu'à l'obtention d'une purée onctueuse. Saler et poivrer. Laisser refroidir, puis réserver au réfrigérateur jusqu'au moment de servir.

Terrine de ratatouille au curry

Pour 6 personnes
Facile • Peu coûteuse
Préparation : 30 minutes
Repos : 1 nuit
Cuisson : 1 heure

- 2 poivrons rouges
- 3 courgettes
- 1 oignon
- 2 gousses d'ail
- 2 tomates
- 2 cuil. à soupe d'huile d'olive
- 6 œufs
- 1/2 cuil. à café rase de curry
- 10 cl de mascarpone
- 1 bouquet de persil
- Sel, poivre du moulin.

Couper les poivrons en quatre, retirer les pépins et les filaments blancs. Les couper en dés ainsi que les courgettes. Éplucher et hacher l'oignon et les gousses d'ail. Ébouillanter les tomates, les égoutter, les rafraîchir à l'eau courante, les éplucher et les épépiner. Couper la pulpe en dés.

Faire revenir l'ail et l'oignon dans l'huile d'olive chaude. Ajouter les courgettes et les poivrons et laisser cuire 5 minutes à feu doux.

Battre les œufs à la fourchette, saler, poivrer, ajouter le curry. Verser les œufs battus sur les courgettes et laisser cuire à feu très doux en remuant régulièrement avec une spatule en bois. Lorsque les œufs commencent à prendre, ajouter les tomates, le mascarpone et le persil haché.

Tapisser une terrine de papier sulfurisé, y verser la préparation et enfourner pour 40 minutes dans un four chaud à 180 °C (th. 6). Laisser refroidir à température ambiante avant de réserver pendant une nuit au réfrigérateur. Démouler au moment de servir.

Terrine de saumon aux pommes de terre,
page 46

Terrine de saumon aux pommes de terre

Pour 4 personnes
Facile • Raisonnable
Préparation : 40 minutes
Repos : 1 nuit
Cuisson : 1 heure 50 minutes

- *3 blancs de poireau*
- *2 cuil. à soupe d'huile d'olive*
- *1 cuil. à café de curry*
- *1 filet de saumon de 400 g*
- *700 g de pommes de terre moyennes*
- *1 bouquet d'aneth*
- *2 jaunes d'œufs*
- *10 cl de crème fraîche*
- *15 cl de lait*
- *Sel, poivre du moulin.*

Laver puis émincer les blancs de poireau. Faire chauffer l'huile dans une sauteuse, saupoudrer de curry, puis ajouter les blancs de poireau. Saler et poivrer. Laisser cuire 20 minutes à couvert et à feu doux.

Couper le saumon dans l'épaisseur en tranches très fines. Éplucher les pommes de terre, les laver et les essuyer dans du papier absorbant. Les couper en rondelles très fines.

Tapisser un moule à charlotte à paroi lisse de papier de cuisson. Disposer une couche de pommes de terre au fond de la terrine. Saler et poivrer. Répartir ensuite une partie des tranches de saumon, puis parsemer généreusement d'aneth. Saler et poivrer. Recouvrir d'une couche de poireaux. Monter la terrine jusqu'à épuisement des ingrédients. Terminer par une couche de pommes de terre.

Dans un saladier, fouetter les jaunes d'œufs avec la crème fraîche et le lait. Saler et poivrer. Verser le mélange dans la terrine, puis enfourner pour 50 minutes dans un four chaud à 200 °C (th. 6-7).

Retirer le couvercle et poursuivre la cuisson pendant 40 minutes à 180 °C (th. 6). Laisser refroidir à température ambiante avant de réserver pendant une nuit au réfrigérateur. Démouler au moment de servir.

••• Pour accompagner : une salade verte et une mayonnaise relevée.

••• Conseils : se munir d'un couteau à lame longue et couper le filet de saumon de biais en petites tranches fines.

Couper de préférence les pommes de terre à l'aide d'un robot ménager. C'est plus rapide et les rondelles seront toutes de la même grosseur, ce qui permettra une cuisson homogène.

Terrine de raie au poivron jaune et à la coriandre

Pour 4 personnes
Facile • Raisonnable
Préparation : 40 minutes
Repos : 1 nuit
Cuisson : 35 minutes

- *700 g d'aile de raie pelée*
- *2 poivrons jaunes*
- *1 feuille de gélatine*
- *20 cl de fumet de poisson*
- *1 bouquet de coriandre*
- *Sel, poivre du moulin.*

Rincer l'aile de raie à l'eau courante. La faire pocher 15 minutes à petits bouillons dans une grande casserole d'eau bouillante salée.

Disposer les poivrons entiers sur la grille du four. Faire noircir chacune des faces sous le gril. Les laisser ensuite refroidir hors du four avant de les ouvrir, de les épépiner et de les couper en fines lanières.

Égoutter l'aile de raie à l'aide d'une écumoire. Prélever délicatement des lambeaux de chair à l'aide d'un couteau à longue lame. Les déposer à plat au fur et à mesure dans un grand plat.

Plonger pendant 5 minutes la feuille de gélatine dans un bol d'eau froide. Faire chauffer le fumet de poisson dans une petite casserole. Hors du feu, y plonger la gélatine essorée et remuer.

Rincer une terrine à l'eau froide (sans l'essuyer) ou tapisser un moule de papier de cuisson. Monter la terrine en alternant aile de raie, sel, poivre, lanières de poivron et coriandre ciselée. Entre chaque couche, verser un peu de fumet. Terminer en arrosant de fumet.

Couvrir et réserver pendant une nuit au réfrigérateur. Démouler délicatement au moment de servir.

••• *Pour accompagner : une vinaigrette agrémentée de quelques câpres.*

Terrine de thon anisée

Pour 6 personnes
Facile • Chère
Préparation : 30 minutes
Repos : 1 nuit
Cuisson : 50 minutes

- 6 grosses tomates
- 2 oignons
- 4 cuil. à soupe d'huile d'olive
- 1 cuil. à soupe de graines de fenouil
- 2 brins de thym frais
- 3 bulbes de fenouil
- 600 g de ventre de thon taillé en filets de 1 cm par le poissonnier
- 4 feuilles de gélatine
- 1 bocal d'olives vertes
- Sel, poivre du moulin.

Ébouillanter les tomates, les égoutter, les rafraîchir à l'eau courante, les éplucher et les épépiner. Couper la pulpe en morceaux. Éplucher et émincer les oignons.

Dans une sauteuse, faire chauffer 2 cuillerées à soupe d'huile. Faire revenir l'oignon, ajouter la tomate, les graines de fenouil et effriter le thym. Saler, poivrer et faire cuire 30 minutes à feu doux.

Éplucher les bulbes de fenouil. Les émincer, puis les faire cuire à la vapeur en les laissant légèrement croquants.

Faire chauffer 2 cuillerées à soupe d'huile dans une grande poêle. Faire revenir les filets de thon, puis laisser cuire 5 minutes en les retournant à mi-cuisson. Les réserver.

Plonger les feuilles de gélatine pendant 5 minutes dans un bol d'eau froide. Les mêler, hors du feu, à la sauce tomate.

Rincer une terrine à l'eau froide (sans l'essuyer) ou tapisser un moule de papier de cuisson. Verser une couche de sauce tomate dans le fond du moule. Répartir une partie du thon, une couche de fenouil, puis ajouter les olives égouttées. Monter la terrine jusqu'à épuisement des ingrédients. Couvrir et réserver une nuit au réfrigérateur. Servir dans la terrine ou démoulé.

••• Pour accompagner : une vinaigrette à l'huile d'olive et au vinaigre de xérès. Proposer également des tranches de pain de campagne grillées.

Terrine
de cocos au saumon
et à l'aneth

Terrine de cocos au saumon et à l'aneth

Pour 4 personnes
Facile • Peu coûteuse
Préparation : 40 minutes
Repos : 1 nuit
Cuisson : 50 minutes

- 1 kg de cocos de Paimpol
- 1 cube de bouillon de légumes
- 10 cl de crème fraîche liquide
- 4 feuilles de gélatine
- 1 bouquet d'aneth
- 200 g de saumon très frais
- 1 cuil. à soupe d'huile d'olive
- Sel, poivre du moulin.

Écosser les cocos. Les faire cuire pendant 40 minutes dans une casserole d'eau additionnée de bouillon de légumes. Les égoutter en réservant, dans une petite casserole, 5 cl de bouillon. Les réduire en purée dans le bol d'un robot ménager. Verser la crème, saler, poivrer et mixer de nouveau. Verser la préparation dans un saladier.

Plonger les feuilles de gélatine pendant 5 minutes dans un bol d'eau froide. Faire chauffer le bouillon de légumes réservé. Hors du feu, y plonger les feuilles de gélatine essorées. Verser le liquide dans la purée de coco et mélanger soigneusement.

Ciseler l'aneth. Couper la chair du saumon en morceaux. Les saisir quelques instants dans une poêle chaude avec l'huile d'olive (l'intérieur doit rester presque cru). Saler et poivrer.

Tapisser un moule de papier de cuisson. Répartir une couche d'aneth dans le fond du moule. Ajouter une couche de purée de cocos et une partie des morceaux de saumon. Monter la terrine en terminant par l'aneth.

Couvrir et laisser reposer une nuit au réfrigérateur. Démouler au moment de servir.

••• *Pour accompagner des quenelles de crème fouettée additionnée de tout petits dés d'écorce de citron.*

Terrine de poisson au chou romanesco

Pour 4 personnes
Facile • Peu coûteuse
Préparation : 20 minutes
Repos : 1 nuit
Cuisson : 50 minutes

- 400 g de chou romanesco
- 400 g de filets de perche
- 1 botte d'estragon
- 3 œufs
- 3 cuil. à soupe de farine
- 15 cl de crème fraîche liquide
- Sel, poivre du moulin.

Détacher des petits bouquets de chou. Les cuire 10 minutes à la vapeur.

Tapisser un moule de papier de cuisson. Disposer au fond du moule une couche de filets de perche. Saler et poivrer. Parsemer d'estragon haché et recouvrir de bouquets de chou. Monter la terrine dans cet ordre jusqu'à épuisement des ingrédients.

Battre les œufs dans un saladier. Verser la farine en pluie sans cesser de fouetter au fouet à main. Ajouter la crème, saler, poivrer et mélanger.

Verser l'appareil aux œufs sur la terrine et enfourner pour 40 minutes dans un four chaud à 210 °C (th. 7).

Laisser complètement refroidir la terrine à température ambiante avant de la réserver pendant une nuit au réfrigérateur. Démouler au moment de servir.

Terrine de raie à la tomate et aux câpres

Pour 6 personnes
Facile • Raisonnable
Préparation : 25 minutes
Repos : 1 nuit
Cuisson : 25 minutes

- *1,500 kg d'aile de raie*
- *2 grosses tomates*
- *1 feuille de gélatine*
- *30 g de câpres*
- *50 g d'olives noires dénoyautées*
- *Sel, poivre du moulin.*

Porter un faitout d'eau salée et poivrée à ébullition. Y plonger l'aile de raie et laisser cuire 15 minutes à feu moyen.

Ébouillanter les tomates, les égoutter, les rafraîchir à l'eau courante, puis les peler, les couper en quatre et les épépiner.

Sortir la raie du court-bouillon à l'aide d'une écumoire. La laisser tiédir avant de la peler. Prélever ensuite la chair à l'aide d'un couteau à longue lame.

Plonger la feuille de gélatine dans un bol d'eau froide. Faire réchauffer 20 cl de court-bouillon dans une petite casserole. Hors du feu, y dissoudre la gélatine essorée.

Tapisser un moule de papier de cuisson. Monter la terrine par couches en alternant raie, tomates, câpres et olives. Verser un peu de bouillon entre chaque couche. Verser enfin le restant de bouillon.

Couvrir et laisser reposer pendant une nuit au réfrigérateur. Démouler au moment de servir.

••• Pour accompagner : une vinaigrette tiède à la tapenade : dans une petite casserole, mélanger 1 cuillerée à café de tapenade d'olives noires avec 2 cuillerées à soupe de vinaigre balsamique, 4 cuillerées à soupe d'huile d'olive, du sel et du poivre. Faire tiédir à feu très doux, puis, hors du feu, ajouter 1/2 bouquet de coriandre hachée.

Terrine de cabillaud aux légumes, *page 57*

Terrine de merlan aux olives

Pour 6 personnes
Facile • Chère
Préparation : 30 minutes
Repos : 1 nuit
Cuisson : 1 heure 20 minutes

- 4 carottes
- 3 blancs de poireau
- 2 cuil. à soupe d'huile d'olive
- 6 beaux filets de merlan
- 2 œufs
- 250 g de crème fraîche
- 1 petit bouquet de coriandre
- 100 g d'olives vertes dénoyautées
- Sel, poivre du moulin.

Peler les carottes, les couper en fins bâtonnets. Laver puis émincer les blancs de poireau. Faire cuire les légumes pendant 20 minutes à couvert dans l'huile chaude.

S'il y a lieu, égoutter les légumes de leur eau de cuisson avant de les verser dans le bol d'un robot ménager avec 4 filets de poisson coupés en morceaux, les œufs et la crème. Saler, poivrer et mixer pour obtenir une farce homogène.

Tapisser un moule de papier de cuisson. Verser la moitié de la farce dans le fond du moule, parsemer de la moitié de la coriandre hachée, puis déposer les 2 filets de poisson restants. Parsemer de coriandre et garnir d'olives. Verser le restant de farce.

Enfourner pour 1 heure au bain-marie dans un four chaud à 180 °C (th. 6). Plonger la lame d'un couteau fin au cœur de la terrine, elle doit ressortir sèche.

Laisser refroidir à température ambiante avant de réserver pendant une nuit au réfrigérateur. Démouler au moment de servir.

Terrine marbrée au saumon et à la lotte

Pour 6 personnes
Facile • Chère
Préparation : 30 minutes
Repos : 1 nuit
Cuisson : 40 minutes

- 6 feuilles de chou
- La mie rassise de 2 tranches de pain
- 320 g de lotte
- 4 blancs d'œufs
- 2 cuil. à soupe de mascarpone
- 12,5 cl de lait
- 230 g de filets de saumon
- Sel, poivre du moulin.

Retirer les côtes dures des feuilles de chou. Faire blanchir les feuilles 3 minutes à l'eau bouillante, les égoutter et les essuyer dans du papier absorbant. En tapisser le fond et les côtés d'un moule en les laissant déborder à l'extérieur.

Faire ramollir la mie de pain dans un peu d'eau froide. Couper la lotte en morceaux, les réduire en purée au mixeur. Ajouter 2 blancs d'œufs, la moitié de la mie de pain essorée, 1 cuillerée à soupe de mascarpone et la moitié du lait. Saler, poivrer et mixer pendant 30 secondes. Réserver au réfrigérateur.

Procéder de la même façon pour le saumon avec l'autre moitié des ingrédients. Remplir la moitié du moule de mousse de lotte et l'autre moitié de mousse de saumon. Couvrir et enfourner pour 35 minutes au bain-marie dans un four chaud à 180 °C (th. 6). Plonger la lame d'un couteau fin au cœur de la terrine, elle doit ressortir sèche. Laisser refroidir à température ambiante avant de réserver pendant une nuit au réfrigérateur. Démouler au moment de servir.

••• Pour accompagner : une mayonnaise.

Terrine de cabillaud aux légumes

Pour 6 personnes
Facile • Raisonnable
Préparation : 30 minutes
Repos : 1 nuit
Cuisson : 1 heure 30 minutes

- 2 carottes
- 200 g de bouquets de brocoli
- 200 g de haricots verts
- 100 g de petits pois écossés
- 4 poivrons grillés en boîte
- 1 cube de court-bouillon
- 600 g de filets de cabillaud
- 9 œufs
- 10 cl de crème fraîche bien froide
- Quelques feuilles d'estragon hachées
- 1 petit bouquet de ciboulette haché
- Sel, poivre du moulin.

Éplucher les carottes, les couper en bâtonnets. Couper les bouquets de brocoli en lamelles et les haricots verts en petits tronçons.

Cuire ensemble les légumes à l'eau bouillante salée, 13 minutes pour les carottes et 5 minutes pour les brocolis, les petits pois et les haricots verts. Les égoutter et les rafraîchir à l'eau courante. Couper les poivrons égouttés en lamelles.

Dans une casserole, faire chauffer 1 l d'eau avec le cube de court-bouillon effrité. Lorsque l'eau est tiède et le cube, dissous, y déposer les filets de cabillaud. Amener doucement à ébullition puis baisser le feu pour que l'eau frémisse. Laisser cuire pendant 7 minutes. Ôter les filets de l'eau à l'aide d'une écumoire.

Tapisser un moule de papier de cuisson. Battre les œufs à la fourchette, ajouter la crème fraîche et les herbes, en fouettant au fouet à main. Saler, poivrer et ajouter les légumes cuits et les poivrons. Mélanger.

Verser la moitié de la préparation aux légumes dans le moule, étaler les filets de cabillaud et recouvrir de légumes.

Enfourner pour 1 heure au bain-marie dans un four chaud à 180 °C (th. 6). Plonger la lame d'un couteau fin au cœur de la terrine, elle doit ressortir sèche.

Laisser refroidir à température ambiante avant de réserver pendant une nuit au réfrigérateur. Démouler au moment de servir.

Terrine de poulet aux légumes

Pour 6 personnes
Facile • Peu coûteuse
Préparation : 30 minutes
Repos : 1 nuit
Cuisson : 50 minutes

- 500 g d'escalopes de poulet
- 35 cl de crème fraîche liquide
- 200 g de carottes nouvelles
- 200 g de petits bouquets de brocoli
- Sel, poivre du moulin.

Couper 250 g de poulet en morceaux et le reste en lanières. Déposer les morceaux dans le bol d'un robot ménager, verser la crème, saler et poivrer. Mixer jusqu'à l'obtention d'un mélange homogène.

Éplucher les carottes. Les couper en bâtonnets. Couper les petits bouquets de brocoli en deux. Faire cuire les légumes pendant 10 minutes à la vapeur.

Tapisser un moule de papier de cuisson. Étaler une couche de farce à la viande, répartir les bâtonnets de carotte, saler et poivrer. Recouvrir de farce à la viande, répartir les lanières de poulet, puis les demi-bouquets de brocoli, saler et poivrer. Terminer par une couche de farce à la viande.

Couvrir et enfourner pour 40 minutes au bain-marie dans un four chaud à 180 °C (th. 6).

Laisser complètement refroidir la terrine avant de la placer pour une nuit au réfrigérateur. Démouler au moment de servir.

••• Pour accompagner : une vinaigrette à la moutarde ou une mayonnaise et une salade verte.

Terrine de dinde au piment d'Espelette

Pour 6 personnes
Facile • Peu coûteuse
Préparation : 20 minutes
Cuisson : 40 minutes

- 500 g d'escalopes de dinde
- 60 g de crème fraîche épaisse
- Trois pincées de piment d'Espelette
- 1 blanc d'œuf
- 300 g de maïs en boîte
- Sel, poivre du moulin.

Placer la dinde coupée en morceaux dans le bol d'un robot ménager. Verser la crème fraîche, saler, poivrer et réduire en une fine purée. Ajouter le piment d'Espelette, le blanc d'œuf et mixer de nouveau quelques instants pour mélanger.

Tapisser une moule de papier de cuisson. Étaler une couche de purée de dinde et couvrir de maïs. Monter la terrine en alternant les ingrédients. Terminer par la purée de dinde.

Couvrir le moule et faire cuire pendant 40 minutes au bain-marie dans un four chaud à 200 °C (th. 6-7).

Laisser complètement refroidir avant de placer pendant une nuit au réfrigérateur. Démouler au moment de servir.

Terrine de poulet aux légumes

Terrine de queue de bœuf aux légumes

Pour 4 à 6 personnes
Facile • Peu coûteuse
Préparation : 45 minutes
Repos : 1 nuit
Cuisson : 2 heures

- 1 oignon
- 2 clous de girofle
- 1 pied de veau coupé en deux dans le sens de la longueur
- 1 queue de bœuf en tronçons
- 1 grosse carotte
- 1 branche de céleri
- 1 bouquet garni
- 1 gousse d'ail
- 3 carottes nouvelles
- 2 blancs de poireau
- 200 g de petits pois
- 2 branches d'estragon
- Sel, poivre du moulin.

Éplucher l'oignon, le couper en deux et piquer chaque moitié d'un clou de girofle. Ébouillanter le pied de veau pendant 3 minutes. L'égoutter et le placer dans un autocuiseur. Ajouter la queue de bœuf, la grosse carotte épluchée et coupée en deux dans la longueur, le céleri en tronçons, le bouquet garni et l'ail épluché. Saler, poivrer et couvrir d'eau. Fermer le couvercle de l'autocuiseur et cuire pendant 1 heure 30 minutes à partir du chuchotement de la soupape.

Éplucher les carottes nouvelles, laver les blancs de poireau et écosser les petits pois. Couper les blancs de poireau en tronçons. Faire cuire les légumes à la vapeur.

Retirer les tronçons de queue de bœuf et le pied de veau du bouillon à l'aide d'une écumoire. Les désosser et retirer la membrane qui les entoure.

Prélever l'équivalent d'une petite casserole de bouillon. Passer ce dernier au chinois. Le remettre dans la casserole et faire réduire d'un tiers à feu vif. Hacher l'estragon.

Rincer une terrine à l'eau fraîche (ne pas l'essuyer) ou tapisser un moule de papier de cuisson. Disposer dedans une partie des tronçons de queue de bœuf et de pied de veau, saupoudrer d'estragon et ajouter une partie des légumes cuits à la vapeur. Recommencer jusqu'à épuisement des ingrédients. Couvrir à hauteur de bouillon et tapoter la terrine sur une table pour qu'il descende bien jusqu'au fond. Couvrir et placer une nuit au réfrigérateur.

Servir dans la terrine dans son moule ou sur un plat de service.

••• Conseil : on peut aussi cuire la viande dans un faitout pendant 3 heures en écumant régulièrement.

••• Pour accompagner : une salade verte assaisonnée d'huile de noix et des petits cornichons bien croquants. Pour un plat complet, on peut également proposer des pommes de terre sautées.

Terrine de viande à la roquette et au basilic

Pour 6 personnes
Facile • Raisonnable
Préparation : 55 minutes
Repos : 15 minutes + 1 nuit
Cuisson : 1 heure 30 minutes

- 1 kg de palette demi-sel
- 1 kg de jambonneau fumé
- 1 oignon
- 2 clous de girofle
- 2 carottes
- 1 gousse d'ail
- 1 bouquet garni
- 1 bouteille de vin blanc sec
- 2 belles poignées de roquette
- 1 gros bouquet de basilic
- 15 petits cornichons croquants
- 6 feuilles de gélatine
- 5 cl de vinaigre de vin blanc
- Sel, poivre du moulin.

Plonger la palette dans un faitout d'eau froide. Porter à frémissements et laisser cuire pendant 10 minutes. Égoutter la viande, la rincer, puis la placer avec le jambonneau dans un autocuiseur.

Éplucher l'oignon, le couper en deux et piquer chaque moitié d'un clou de girofle. Éplucher les carottes, les couper en grosses rondelles. Placer oignon, ail pelé et carottes sur la viande. Ajouter le bouquet garni et poivrer. Verser le vin, puis compléter avec de l'eau pour couvrir la viande. Fermer l'autocuiseur et faire cuire pendant 1 heure à partir du chuchotement de la soupape.

Hacher la roquette et le basilic. Couper les cornichons en grosses rondelles. Égoutter la viande, la laisser tiédir, la désosser et la couper en dés. Filtrer le bouillon avant de le faire réduire à feu vif pour en obtenir 50 cl.

Faire tremper les feuilles de gélatine dans un bol d'eau froide pendant 5 minutes. Les faire fondre, hors du feu, dans le bouillon chaud. Ajouter le vinaigre et saler légèrement.

Rincer une terrine à l'eau froide ou tapisser un moule de papier de cuisson. Verser un peu de bouillon au fond du moule, parsemer d'herbes hachées. Réserver 10 minutes au réfrigérateur.

Recouvrir la gelée d'une couche de viande (la goûter pour ajouter éventuellement un peu de sel), poivrer, parsemer de cornichons et d'herbes. Monter la terrine jusqu'à épuisement des ingrédients. Verser la gelée restante. Tapoter la terrine sur une table pour que la gelée descende bien jusqu'au fond, couvrir et placer une nuit au réfrigérateur. Servir dans la terrine ou démouler sur un plat de service.

••• Conseil : on peut aussi cuire la viande dans un faitout pendant 2 heures en écumant régulièrement.

••• Pour accompagner : des chips au vinaigre pour un déjeuner sur l'herbe. Sinon une salade de pissenlits accompagnée de croûtons aillés et de pommes sautées ou de frites. Mais également des pommes de terre cuites au four dans du papier d'aluminium ou une ratatouille.

Terrine de dinde au pamplemousse,
page 67

Terrine de viande aux poivrons grillés

Pour 6 personnes
Facile • Raisonnable
Préparation : 30 minutes
Repos : 1 nuit
Cuisson : 1 heure 50 minutes

- 2 poivrons rouges
- 2 poivrons verts
- 2 oignons
- 1 cuil. à soupe d'huile d'olive
- 100 g de pistaches mondées
- 2 pommes
- 500 g de chair à saucisse
- 500 g d'escalopes de veau hachées
- 200 g de mie de pain rassise
- 2 œufs
- Le zeste de 1/2 citron
- 2 branches d'estragon
- Sel, poivre du moulin.

Disposer les poivrons entiers sur la grille du four. Faire noircir chacune des faces sous le gril. Retirer les poivrons, les laisser refroidir.

Peler puis hacher les oignons. Dans une sauteuse, les faire revenir pendant quelques minutes dans l'huile chaude.

Plonger pendant 5 minutes les pistaches dans une casserole d'eau frémissante. Les égoutter. Peler les pommes, retirer le cœur et couper la chair en dés.

Éplucher les poivrons, les ouvrir, les épépiner et les couper en lanières. Dans un saladier, mélanger soigneusement les viandes avec les oignons, les pistaches, la mie de pain, les œufs, le zeste de citron et la pomme. Saler et poivrer pour obtenir une farce relevée.

Prélever les feuilles des branches d'estragon, les hacher au couteau. Tapisser un moule de papier de cuisson. Verser une couche de viande dans le fond du moule. Parsemer d'estragon haché et répartir des lanières de poivron rouge. Monter la terrine dans cet ordre jusqu'à épuisement des ingrédients en alternant la couleur des lanières de poivron. Terminer par une couche de viande.

Enfourner pour 1 heure 30 minutes dans un four chaud à 180 °C (th. 6) jusqu'à ce que la terrine soit ferme sous le doigt. Laisser refroidir à température ambiante, puis réserver pendant une nuit au réfrigérateur avant de démouler.

Jambon en gelée

Pour 8 personnes
Facile • Peu coûteuse
Préparation : 20 minutes
Repos : 1 nuit
Cuisson : 15 minutes

- 3 œufs
- 1 tranche de jambon de 250 g + 5 tranches fines
- 5 cornichons
- Quelques branches d'estragon
- Quelques brins de cerfeuil
- Huile pour le moule
- 1,5 paquet de gelée instantanée.

Faire durcir les œufs 10 minutes à l'eau bouillante. Les écaler et les laisser refroidir. Couper la tranche de 250 g de jambon en petits dés et les cornichons en rondelles. Hacher les herbes.

Huiler un moule en couronne à bordure haute et cannelée. Préparer la gelée dans un saladier en suivant les instructions du paquet. La laisser tiédir avant d'y mêler les dés de jambon et les rondelles de cornichon. En verser la moitié dans le moule.

Couper les œufs froids en quatre et les tranches de jambon en deux. Les rouler et les glisser dans le moule, une toutes les deux côtes. Glisser les quartiers d'œufs dans les côtes restantes.

Verser le restant de préparation à la gelée, couvrir et réserver pendant une nuit au réfrigérateur avant de démouler.

••• *Pour accompagner : une sauce moutarde. Une salade de lentilles aux oignons. Des chips aux oignons.*

Terrine de dinde au pamplemousse

Pour 6 personnes
Facile • Peu coûteuse
Préparation : 25 minutes
Repos : 1 nuit
Cuisson : 25 minutes

- *2 l de bouillon de volaille*
- *500 g de filets de dinde*
- *6 pamplemousses roses*
- *1 sachet de gelée instantanée*
- *2 branches d'estragon*
- *Poivre du moulin.*

Porter le bouillon de volaille à ébullition dans une casserole. Y faire pocher les filets de dinde pendant 15 minutes. Égoutter la viande en conservant 40 cl de bouillon.

Filtrer le bouillon et ajouter le jus de 1 pamplemousse. Faire doucement chauffer le mélange dans une casserole, délayer la gelée instantanée dans le bouillon chaud en remuant sans cesse. Retirer du feu au premier bouillon. Laisser tiédir.

Couper les filets de dinde en cubes. Peler 5 pamplemousses à vif, les couper en deux et les détailler en quartiers.

Tapisser un moule de papier de cuisson, y verser 1 cm de gelée. Laisser prendre 15 minutes au réfrigérateur. Monter la terrine en commençant par une couche de lanières de dinde, badigeonner de gelée et poivrer. Poursuivre avec une couche de quartiers de pamplemousse, badigeonner de gelée et parsemer d'estragon haché. Procéder ainsi jusqu'à épuisement des ingrédients. Verser le restant de gelée, tapoter la terrine sur une table pour qu'elle descende jusqu'au fond. Couvrir et réserver pendant une nuit. Démouler au moment de servir.

Terrine d'agneau à l'anis et aux champignons noirs

Pour 6 personnes
Facile • Raisonnable
Préparation : 20 minutes
Repos : 1 nuit
Cuisson : 1 heure 50 minutes

- *700 g d'épaule d'agneau désossée*
- *4 gousses d'ail*
- *4 cuil. à soupe de vin de riz chinois*
- *2 cuil. à café de sauce de soja*
- *1 étoile de badiane*
- *1 petite poignée de champignons noirs*
- *4 feuilles de gélatine*
- *Sel, poivre du moulin.*

Couper la viande en morceaux de 2 cm. Les mettre dans une sauteuse avec les gousses d'ail pelées, le vin, la sauce de soja et la badiane. Ajouter juste assez d'eau pour couvrir la viande. Saler et poivrer. Porter à ébullition à feu doux. Poser le couvercle de sorte qu'il couvre la moitié de la sauteuse et laisser mijoter pendant 1 heure 30 minutes.

Laisser gonfler les champignons dans un bol d'eau tiède. Plonger les feuilles de gélatine pendant 5 minutes dans un bol d'eau froide.

Retirer de la sauteuse les gousses d'ail et la badiane, égoutter la viande en conservant le bouillon de cuisson. Le filtrer, puis y dissoudre les feuilles de gélatine essorées.

Égoutter les champignons, les émincer finement. Effilocher la viande à la fourchette, la mettre dans un saladier, verser la gelée, ajouter les champignons. Mélanger soigneusement.

Verser la préparation dans un moule tapissé de papier de cuisson. Laisser refroidir à température ambiante puis réserver pendant une nuit au réfrigérateur. Démouler au moment de servir.

Terrine de lapin en gelée

Pour 6 personnes
Facile • Raisonnable
Préparation : 20 minutes
Repos : 4 heures + 1 nuit
Cuisson : 2 heures

- *6 oignons blancs*
- *1 bouquet de persil*
- *2 branches de thym frais*
- *6 tranches de poitrine fumée*
- *1 lapin de 1,500 kg coupé en morceaux au couteau par le boucher*
- *50 cl de vin blanc sec*
- *Sel, poivre du moulin.*

Peler et hacher les oignons. Hacher le persil et effriter le thym. Réunir oignons et herbes dans un bol.

Tapisser le fond d'une terrine de 4 tranches de poitrine fumée. Garnir la terrine en alternant couches de morceaux de lapin et couches de hachis d'herbes et d'oignons. Saler peu entre chaque couche et poivrer. Terminer par le lapin.

Couvrir des tranches restantes de poitrine fumée et mouiller avec le vin blanc en le faisant pénétrer sur les côtés de la terrine. Couvrir et réserver pendant 4 heures dans un endroit frais.

Enfourner pour 2 heures dans un four chaud à 150 °C (th. 5). Vérifier régulièrement que le jus ne déborde pas, mais mijote autour du couvercle. Ajouter un peu de vin blanc plusieurs fois au cours de la cuisson.

À la sortie du four, verser le vin blanc restant. Poser une planchette et un poids sur la viande. Laisser refroidir à température ambiante, puis réserver une nuit au réfrigérateur avant de déguster.

••• Conseils : précisez bien au boucher de découper le lapin non pas au hachoir, mais au couteau, pour éviter les éclats d'os.

En refroidissant, une délicieuse gelée naturelle va se former autour de la viande.

Cette terrine se conserve plus de 8 jours au réfrigérateur.

Terrine de poires à la réglisse

Pour 6 personnes
Facile • Peu coûteuse
Préparation : 30 minutes
Repos : 6 heures + 1 nuit
Cuisson : 20 minutes

- 1 citron vert non traité
- Le zeste de 1/2 orange non traitée
- 50 cl de pineau des Charentes blanc
- 400 g de sucre en poudre
- 1 bâton de cannelle
- 1/2 bâton de réglisse
- Poivre du moulin
- 7 poires
- 6 feuilles de gélatine.

Prélever le zeste du citron vert avant d'en recueillir le jus. Porter une petite casserole d'eau à ébullition. Y plonger les zestes de citron et d'orange. Laisser frémir pendant 1 minute avant de les égoutter et de les rafraîchir aussitôt à l'eau courante.

Dans une grande casserole, mélanger le pineau, 50 cl d'eau, le sucre, les zestes, le jus de citron, les bâtons de cannelle et de réglisse. Donner 3 tours de moulin à poivre. Porter doucement à ébullition.

Éplucher les poires, les couper en quatre et retirer le cœur. Les plonger, hors du feu, dans le sirop. Couvrir et laisser macérer pendant 6 heures.

Rincer une terrine à l'eau froide (sans l'essuyer) ou tapisser un moule de papier de cuisson. Retirer délicatement les poires du sirop à l'aide d'une écumoire. Les disposer dans le moule.

Plonger pendant 5 minutes les feuilles de gélatine dans un bol d'eau froide. Réchauffer quelques louches de sirop dans une petite casserole. Hors du feu, y dissoudre les feuilles de gélatine essorées. Mélanger avec le restant de sirop, puis verser doucement sur les poires.

Couvrir le moule et placer une nuit au réfrigérateur. Démouler au moment de servir.

••• Pour accompagner : des biscuits roses de Reims ou autres biscuits à la cuiller.

Terrine au fromage de brebis

Pour 4 personnes
Facile • Peu coûteuse
Préparation : 20 minutes
Repos : 1 nuit
Cuisson : 6 minutes

- 20 cl de crème fraîche liquide
- 4 feuilles de gélatine
- 400 g de fromage blanc de brebis non battu
- Le zeste râpé de 1 orange non traitée
- 100 g de sucre en poudre
- 2 blancs d'œufs.

Monter la crème en chantilly. La réserver au réfrigérateur. Plonger pendant 5 minutes les feuilles de gélatine dans un bol d'eau froide.

Battre le fromage blanc au fouet à main, ajouter le zeste d'orange. Dans une petite casserole, verser le sucre et 5 cl d'eau. Porter à ébullition et laisser bouillir pendant 5 minutes. Hors du feu, y dissoudre les feuilles de gélatine essorées. Bien mélanger.

Monter les blancs d'œufs en neige. Sans cesser de battre, verser le sirop bouillant et continuer de battre jusqu'à ce que les œufs soient fermes et brillants. Les incorporer délicatement au fromage blanc. Incorporer également la chantilly.

Tapisser un moule de papier de cuisson. Verser la préparation au fromage blanc, couvrir et réserver pendant une nuit au réfrigérateur. Démouler froid.

••• Pour accompagner : une salade de fruits jaunes (pêches, abricots et brugnons).

Terrine de raisins au banyuls

Pour 6 personnes
Facile • Peu coûteuse
Préparation : 30 minutes
Repos : 1 nuit
Cuisson : 8 minutes

- 6 feuilles de gélatine
- 30 cl de banyuls
- 350 g de gros raisins blancs
- 50 cl de crème anglaise
- Le zeste râpé de 1/2 orange non traitée
- Le zeste râpé de 1/2 citron vert non traité
- 10 cl de crème fraîche liquide.

Plonger pendant 5 minutes les feuilles de gélatine dans un bol d'eau froide. Faire doucement chauffer le vin sans le faire bouillir. Hors du feu, y dissoudre 4 feuilles de gélatine essorées. Laisser tiédir.

Tapisser un moule de papier de cuisson. Éplucher les raisins, les couper en deux et les épépiner. Les mélanger au vin. Verser la préparation dans le moule, réserver au frais.

Faire doucement chauffer 10 cl de crème anglaise sans la faire bouillir. Hors du feu, y dissoudre le restant des feuilles de gélatine essorées. Ajouter le restant de crème anglaise, les zestes d'orange et de citron et mélanger. Laisser refroidir.

Battre la crème fraîche en chantilly, l'incorporer délicatement à la crème anglaise. Verser dans le moule sur la gelée prise. Couvrir et réserver pendant une nuit au réfrigérateur. Démouler au moment de servir.

Terrine au fromage de brebis

Timbales de mousse de pommes, *page 77*

Timbales pralinées au cassis

Pour 6 personnes
Facile • Peu coûteuse
Préparation : 15 minutes
Repos : 7 heures
Cuisson : 7 minutes

- *4 feuilles de gélatine*
- *1 l de glace à la vanille*
- *200 g de cassis*
- *65 g de pralin.*

Plonger pendant 5 minutes les feuilles de gélatine dans un bol d'eau froide.

Faire fondre la glace à feu doux dans une casserole. Lorsqu'elle est tiède, la verser dans un saladier.

Remettre 5 cl de glace sur le feu. Hors du feu, dissoudre les feuilles de gélatine essorées dans la glace chaude. Incorporer la préparation à la gélatine à la glace réservée dans le saladier.

Verser la préparation dans 6 ramequins et répartir les grains de cassis. Laisser prendre 1 heure au réfrigérateur. Saupoudrer chaque ramequin de pralin et placer 6 heures au réfrigérateur. Démouler froid.

Terrine de semoule au vin blanc doux

Pour 6 personnes
Facile • Peu coûteuse
Préparation : 20 minutes
Repos : 2 heures
Cuisson : 1 heure

- *25 cl de vin blanc doux*
- *150 g de semoule fine*
- *150 g de sucre en poudre*
- *1 œuf + 3 blancs*
- *Une pincée de sel.*

Dans une casserole, verser le vin et 25 cl d'eau. Porter à ébullition. Verser la semoule en pluie en tournant constamment avec un fouet, puis le sucre. Laisser cuire entre 7 et 10 minutes à feu doux sans cesser de tourner. Arrêter la cuisson lorsque tout le liquide est absorbé. Laisser tiédir.

Battre l'œuf entier en omelette et l'incorporer à la semoule en tournant énergiquement. Monter les blancs d'œufs en neige ferme avec une pincée de sel. Les incorporer à la semoule sans cesser de tourner.

Tapisser un moule de papier de cuisson, y verser la préparation à la semoule. Couvrir et enfourner pour 45 minutes au bain-marie dans un four chaud à 180 °C (th. 6). Laisser refroidir à température ambiante puis réserver pendant 2 heures au réfrigérateur avant de démouler.

••• Pour accompagner : ajouter à convenance quelques fruits confits coupés en petits morceaux après avoir incorporé le jaune d'œuf à la semoule ou encore une belle poignée de raisins réhydratés dans le vin doux choisi.

Servir la terrine de semoule avec un peu de crème anglaise et un coulis de framboises au kirsch.

••• Coulis de framboises au kirsch : pour le coulis, passer 500 g de framboises au moulin à légumes, ajouter 50 g de sucre glace et 3 cuillerées à soupe de kirsch. Mélanger soigneusement.

Timbales de mousse de pommes

Pour 4 personnes
Facile • Peu coûteuse
Préparation : 35 minutes
Repos : 1 nuit
Cuisson : 20 minutes

- *600 g de pommes acidulées*
- *5 feuilles de gélatine*
- *150 g de sucre en poudre*
- *1 citron vert non traité*
- *1 cuil. à soupe de rhum blanc*
- *25 cl de crème fraîche liquide bien froide*
- *2 blancs d'œufs*
- *Une pincée de sel.*

Peler les pommes, les couper en deux pour ôter le cœur, puis en quartiers. Les mettre dans une casserole, les couvrir juste d'eau, porter à ébullition et faire cuire 15 minutes environ à feu doux. Les quartiers doivent rester légèrement fermes.

Égoutter les pommes au-dessus d'un récipient pour conserver l'eau de cuisson. Plonger pendant 5 minutes les feuilles de gélatine dans un bol d'eau froide.

Mixer les quartiers de pomme avec le sucre jusqu'à ce qu'il ait complètement fondu. Râper finement la peau du citron pour obtenir 1 cuillerée à café de zeste. Presser le citron.

Dans une casserole, faire réchauffer 10 cl d'eau de cuisson des pommes, y dissoudre les feuilles de gélatine essorées. Incorporer à la purée de pommes, ajouter le jus et les zestes de citron, ainsi que le rhum. Laisser refroidir.

Battre la crème très froide au batteur électrique jusqu'à ce qu'elle ait doublé de volume. La mélanger délicatement à la purée de pommes.

Battre les blancs d'œufs en neige ferme avec une pincée de sel. Les incorporer au mélange précédent en soulevant la masse à l'aide d'une spatule.

Verser dans des ramequins (ou autres moules fantaisie), couvrir et réserver pendant une nuit au réfrigérateur avant de démouler.

••• ***Pour accompagner : une compote de rhubarbe.***

Couronne de fruits en gelée

Pour 6 personnes
Facile • Peu coûteuse
Préparation : 45 minutes
Repos : 1 heure + 1 nuit

- *1 l de gelée claire*
- *250 g de petites fraises*
- *1 boîte 4/4 de macédoine de fruits au sirop*
- *1/2 boîte de pêches au sirop.*

Préparer la gelée en suivant les instructions du paquet et en utilisant le jus des fruits au sirop égouttés. Laisser refroidir.

Rincer un moule en couronne (sans l'essuyer). Verser 1 cm de gelée dans le moule et laisser prendre 10 minutes au réfrigérateur. Mélanger régulièrement la gelée liquide restante pour qu'elle ne prenne pas.

Disposer une couche de fruits mélangés sur la gelée prise et couvrir de gelée liquide. Laisser prendre au réfrigérateur. Monter la terrine jusqu'à épuisement des ingrédients en faisant prendre la gelée entre chaque couche.

Couvrir et réserver pendant une nuit au réfrigérateur. Démouler en trempant le fond du moule dans un peu d'eau tiède.

••• ***Pour accompagner : de la crème fraîche épaisse.***

Table des matières

Les terrines dessert

Dépôt légal 2e trim. 2010 n° 3 692 - Imprimé en U.E.